U0483337

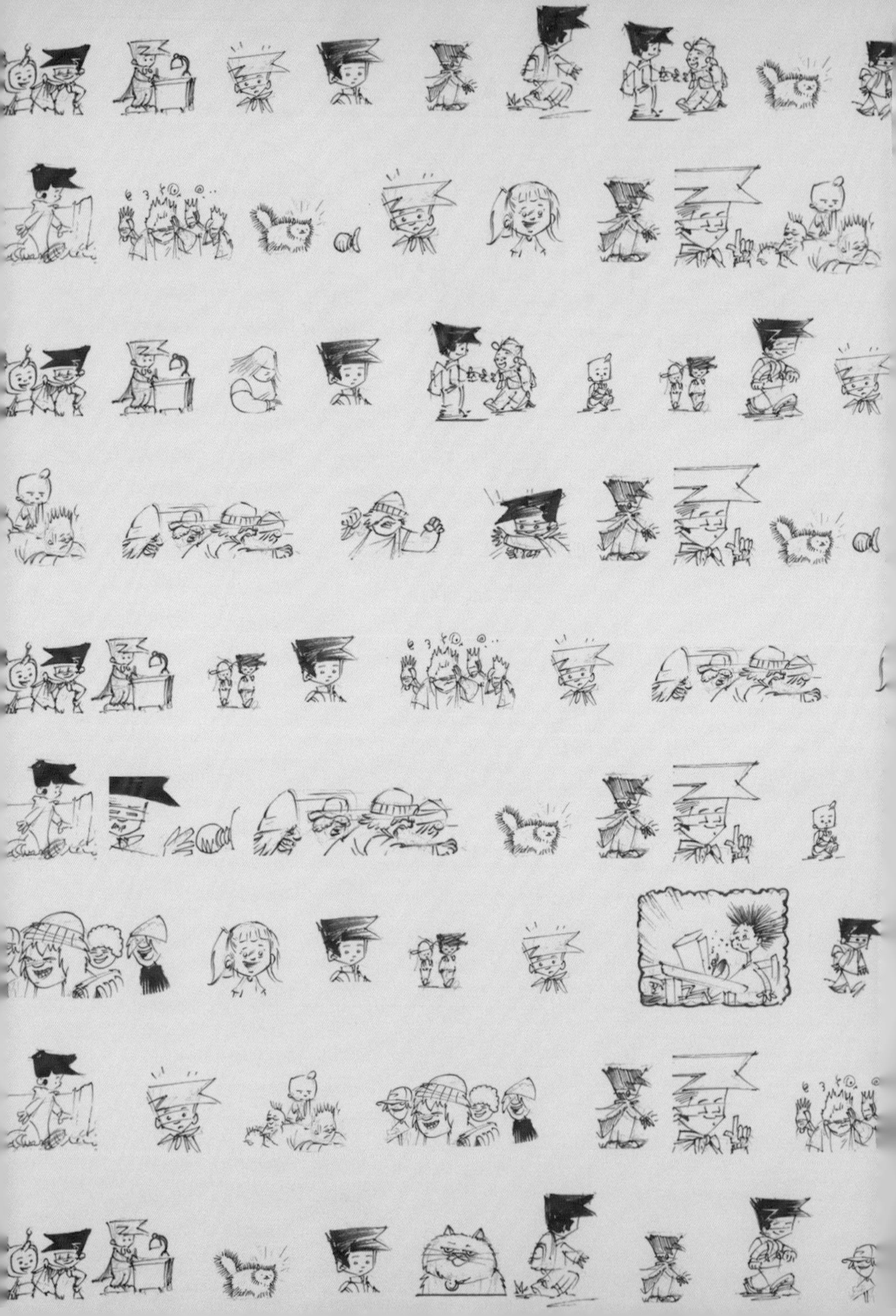

静电超人

超能力的诞生

[加拿大]阿兰·M.贝杰隆 / 著
[加拿大]桑帕尔 / 绘
余 轶 / 译

天津出版传媒集团
新蕾出版社

图书在版编目（CIP）数据

超能力的诞生 / (加) 阿兰·M.贝杰隆 (Alain M. Bergeron) 著；(加) 桑帕尔 (Sampar) 绘；余轶译. -- 天津：新蕾出版社，2023.11
（静电超人；1）
ISBN 978-7-5307-7621-6

Ⅰ.①超… Ⅱ.①阿… ②桑… ③余… Ⅲ.①儿童故事-图画故事-加拿大-现代 Ⅳ.①I711.85

中国国家版本馆 CIP 数据核字(2023)第 147884 号

Original French title: Capitaine Static – Capitaine Static
Author: Alain M. Bergeron
Illustrated by: Sampar
Copyright © 2007, Editions Québec Amérique inc.
Simplified Chinese translation copyright © 2023 by New Buds Publishing House (Tianjin) Limited Company arranged through Wubenshu Children's Books Agency.
ALL RIGHTS RESERVED
津图登字:02-2022-078

书　　名	超能力的诞生　CHAONENGLI DE DANSHENG
出版发行	天津出版传媒集团 新蕾出版社
	http://www.newbuds.com.cn
地　　址	天津市和平区西康路 35 号(300051)
出 版 人	马玉秀
电　　话	总编办(022)23332422 发行部(022)23332351　23332679
传　　真	(022)23332422
经　　销	全国新华书店
印　　刷	天津海顺印业包装有限公司
开　　本	889mm×1194mm　1/32
字　　数	31 千字
印　　张	1.75
版　　次	2023 年 11 月第 1 版　2023 年 11 月第 1 次印刷
定　　价	22.00 元

著作权所有，请勿擅用本书制作各类出版物，违者必究。
如发现印、装质量问题，影响阅读，请与本社发行部联系调换。
地址:天津市和平区西康路 35 号
电话:(022)23332677　邮编:300051

献给伊莎贝尔和安妮-玛丽，
是她们让这本书读起来很"带电"。

静电⚡超人 绝密档案

名字：查理·西马

真实身份：一名普通的小学四年级男孩

装备

- 尼龙材质的钢蓝色超人服
- 红色披风 
- 红色眼罩 
- 黄绿相间的羊毛拖鞋 

超能力：静电攻击

粉丝团：电粉团

温馨提示
！千万不要让静电超人碰衣物柔顺剂！！

超能力秘密来源：拖着脚走路

警 告

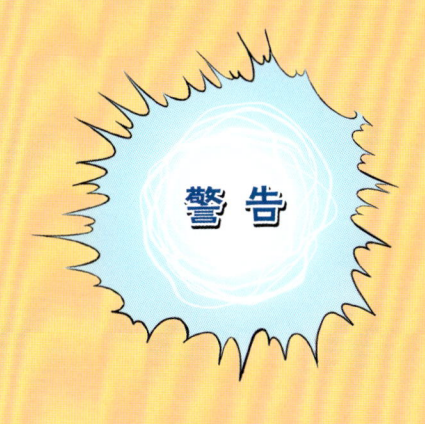

谁摩擦,谁起电!
　　——静电超人的格言

第 1 章

妈妈总是说我爱拖着脚走路。

然而,这正是我那奇特超能力的秘密所在。

也许你们还不知道,我就是那个与众不同、不可思议、却又十分谦逊的"静电超人"。你现在所读到的,就是我疯狂经历的开始。

既然我属于英雄行列,于是我便想,何不把自己的故事写下来呢?

毕竟,话语转瞬即逝,文字却会留存千年。

我并非生来就是静电超人。9岁以前,我是一个再普通不过的男孩,与别的孩子没什么两样,直到万圣节这天。

我有一套尼龙材质的钢蓝色超人服,一件随风飘扬的漂亮的红色披风。超人服的胸前位置有一个标志,是我妈妈在上面绣的两个金色字母——CS,也就是我的名字查理·西马(Charles Simard)的首字母。

万圣节这天,我便穿着这套超人服去上学了。

感觉特别拉风。

但是在用餐时,大乔对我搞恶作剧,把他的姓名首字母写在了我的超人服上。

而且是用番茄酱写的。

哈哈哈! 哈哈哈!

我无力回击。

与其装扮成超人,当时的我更希望化作一阵风。

回到家，我把自己的不幸遭遇讲给妈妈听。我本以为万圣节的装扮计划就这么泡汤了，没想到妈妈很快就帮我把超人服洗干净，并用烘干机烘干。但是她却在清洗时忘记加入衣物柔顺剂。

我回到房间，换上干净的超人服。在换衣服的过程中，我听见周围响起一连串细微的噼啪声。我顿时明白，自己正畅游在一片静电的海洋中。

倒霉的是，当时我正穿着一双羊毛拖鞋。那是外婆特意为我织的。地板上铺着地毯，再加上我爱拖着脚走路……

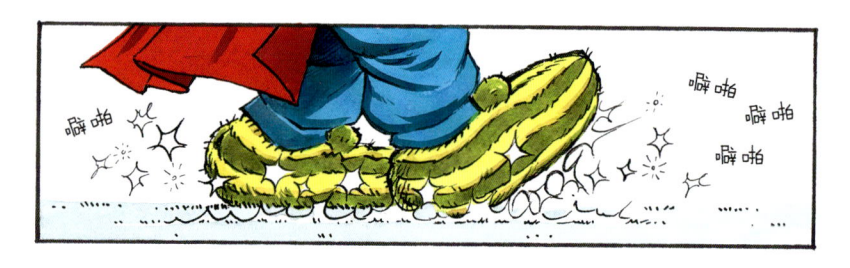

我不敢触碰门把手或其他任何东西，生怕遭到一股强大的静电流袭击。虽然不危险，但那滋味确实不好受。

这时，走廊传来妈妈的脚步声，我赶紧央求她帮我开门……

妈妈，请帮我开一下门！

可是她却假装没听见。

我别无选择。

奇怪，居然什么事也没有发生。

!

好像我把所有的静电都"储藏"了起来。

？ 救命啊！

！！！

原来是大乔一伙正在欺负小孩子，要抢他们的糖果。

我认识其中的一个孩子：

强盗！

他叫弗雷德。

是佩内洛普的弟弟。

佩内洛普的弟弟打算在万圣节装扮成一条绿毛虫。而那天晚上，街上的"绿毛虫"并不多……

放开他们！
!?!
哟，这不是学校里的那位超人吗？
而且是穿着拖鞋的超人！
扑哧！哈哈哈哈！
就让我给你一点儿颜色瞧瞧吧，超人！
当作我送给你的万圣节礼物！

我的故事就在此刻改写了。

这一刻,我变身为静电超人!

噼啪

哎哟!

你们瞧,他的手在发光!

连我自己都不明白这是怎么回事。

我丝毫不觉得疼痛,只感到指尖在微微发热。

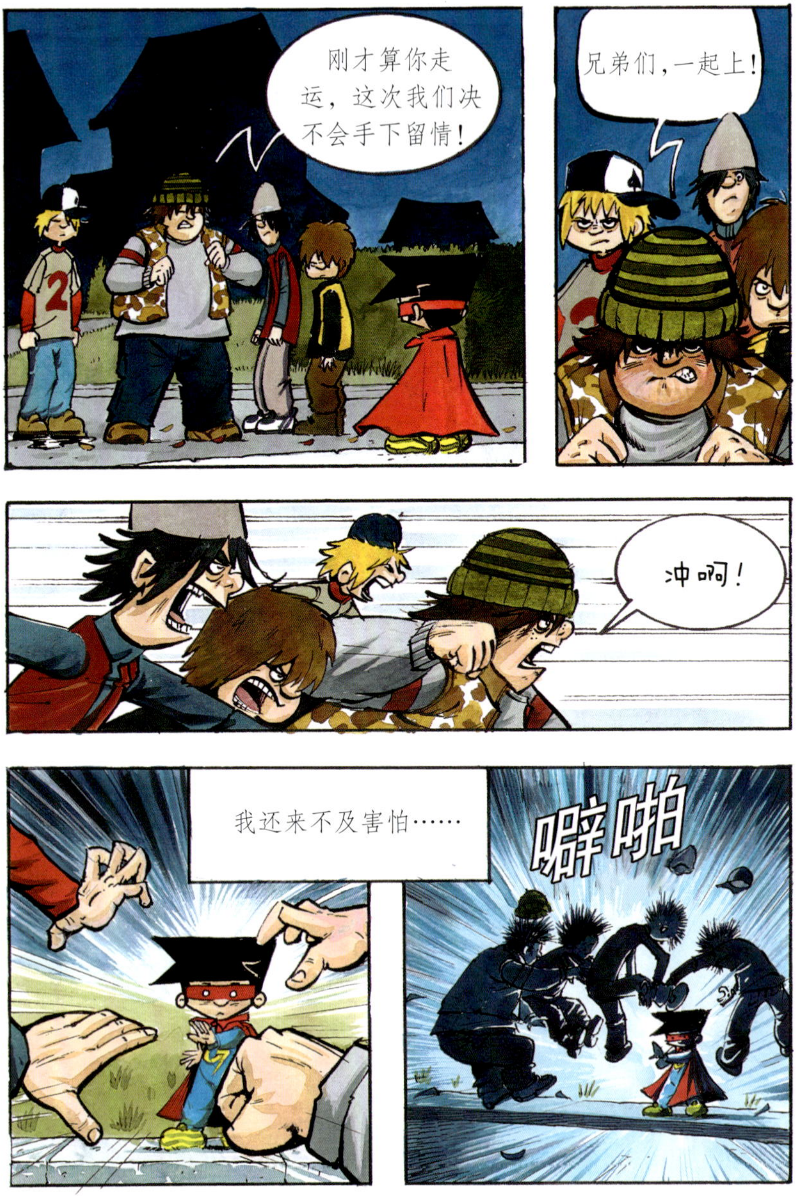
刚才算你走运，这次我们决不会手下留情！
兄弟们，一起上！
冲啊！
我还来不及害怕……
噼啪

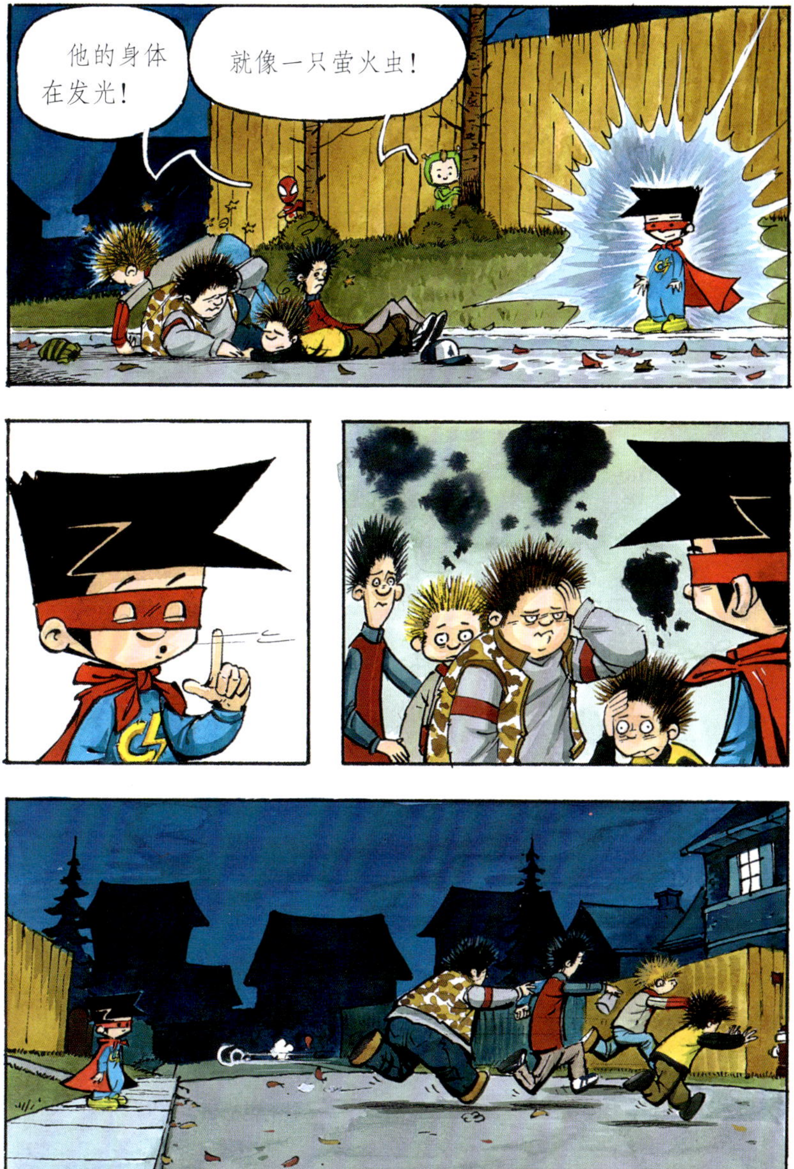
他的身体在发光！
就像一只萤火虫！

好厉害！ 真了不起！ 干得漂亮！

你是我们的英雄！

英雄万岁……等等，CS！

CS？这是什么意思？

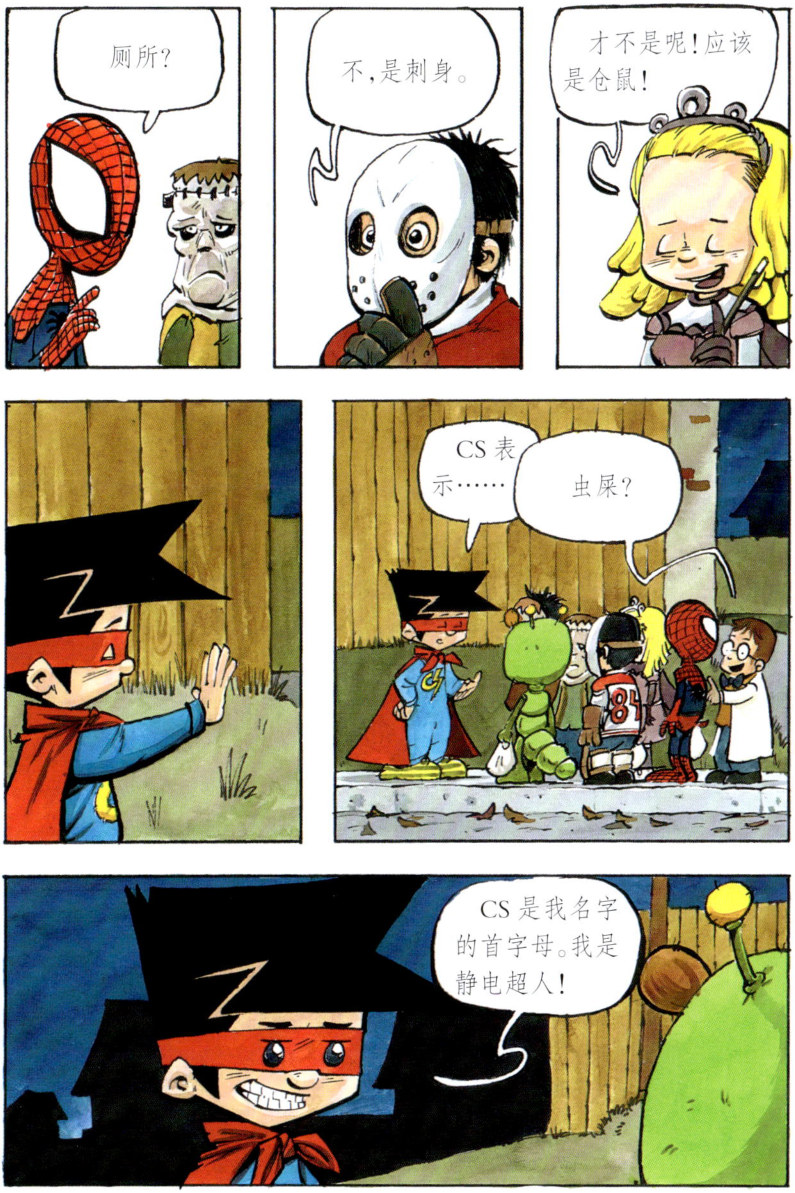
厕所?
不,是刺身。
才不是呢!应该是仓鼠!
CS表示……
虫屎?
CS是我名字的首字母。我是静电超人!

第 2 章

既然我成了很"带电"的英雄人物,今天又会有什么不一样的经历呢?

首先,我得先确认一下,自己是否"充好电"了。再怎么说,在身上带足静电,可不像带足零花钱那样简单。

为了确认这一点,我做了一个实验。实验对象就是我姐姐。她此刻正坐在我对面吃早餐。我悄悄地在餐桌底下用食指对准她。她根本没有睡醒,鼻子都快栽到碗里了。碗里是她喜欢吃的麦片——"字母"牌的,因为我姐姐是个爱看书的"书虫"。我只要稍微"电"她一下,保准能让她彻底清醒。

我集中注意力。

我忍不住在心里偷笑——姐姐就算想破脑袋,也绝对想不出是谁在使坏。

我的指尖传来一阵微热……

没错,就是这种感觉……

见鬼!

原来是我那条傻乎乎的小狗在舔我的食指。实验失败。

我觉得自己就像一块电量耗尽的电池。要怎样才能恢复能量呢？我总不能把自己接在插座上吧，我可不想触电身亡。

有了！我的双脚给了我灵感！确切地说，是我脚上的羊毛拖鞋：只要将它们互相摩擦就能起电，我也就能做回静电超人了！

噼里啪啦——
静电超人回来啦！
嘿，还挺押韵！

去上学的路上,我遇见了罗埃尔夫人的宠物猫——牛顿三世。

它曾多次获得猫咪选美比赛冠军。

你好,牛顿三世!

呼噜呼噜……

呼噜呼噜……

它特别通人性,喜欢被人抚摸,尽管罗埃尔夫人讨厌别人触碰它。

我满足了它的需求,不停地抚摸它。

它发出呼噜呼噜的声音。

我感到手心发热,指尖发麻……

噼啪

我来不及抽回自己的手。

可怜的罗埃尔夫人。

她恐怕认不出此时的牛顿三世了。

喵呜……

不好，罗埃尔夫人正大步流星地朝我走来。
一副气势汹汹的样子。
啊，牛顿三世！我可怜的宝贝！
你这是怎么了？
它明天就要参加选美比赛了，我刚花了 500 美元给它做了造型！
罗埃尔夫人手忙脚乱地整理爱猫身上的毛，却徒劳无功。

也许罗埃尔夫人只是想吓唬我。我不敢吱声,但很快就被眼前的景象给逗乐了。

罗埃尔夫人的刘海儿很短,而且发质干枯,这为静电发挥作用提供了绝佳条件。而此时,空气中正飘浮着静电!

我听见无数细小的噼啪声！罗埃尔夫人对此却毫不知情，只顾抓住我的手臂。

慢慢地，她的长头发也在静电的作用下根根竖起！她的头发竖得越高，我笑得越厉害；我笑得越厉害，她就越生气；她越生气，就把我的手臂抓得越紧；她抓得越紧，头发就竖得越高……

就在罗埃尔夫人松开双手的一刹那,她莫名其妙地"挨了一下"。她惊恐地赶紧抱起爱猫,头也不回地走了,只留下一串埋怨声。路上的行人纷纷停下脚步,看着她的模样发笑。

而我呢,赶紧溜之大吉!

第 3 章

刚到学校,我就被崇拜者们团团围住。看来,昨晚我以超人身份见义勇为的消息,已经传遍了整个街区。

啊!你终于来了!

静电超人,你是我心目中的大英雄!

老实说，他们的赞美让我十分受用。

真勇敢！

了不起！

英雄豪杰！

当他们想不起其他溢美之词时，我便会稍作提示：

让人很来电？

没错！ 对！ 就是！

他们纷纷附和。

可惜我当时没有带笔，不能给他们签名。

就连《城市日报》的记者都赶来了，他应该也是听说了我见义勇为的事迹。很快，就会有成千上万名读者在头版头条上看到我的照片。一想到这儿，我就心情激动！

对了，我得提醒记者，别把"静电超人"的"静"写成"干净"的"净"。

《新的英雄诞生了：静电超人！》

嗯，这个标题不错！

这时，班主任帕提斯老师朝我们走来。

大家立刻散开，把我围在中间。

他们这是要做什么？是要为我献上一首赞歌吗？还是要授予我"见义勇为"的奖牌，又或是"骑士勋章"？我还没准备获奖感言呢！

我自己的位置？

这时，我才恍然大悟！原来，大家聚集在一起不是为了迎接我，而是要彩排合唱表演《和平圆舞曲》！那位记者也不是冲着我来的，而是来给大家拍照的。

唉，看来我真是想多了！于是，我拖着脚步，慢吞吞地加入大家围成的圆圈中。我本想站在佩内洛普身边。佩内洛普是"绿毛虫"弗雷德的姐姐，是我们班的班花，更是我们学校的校花。可是，我一时没找着她，只好悻悻地牵起两个男生的手。

和平,和平,我们呼唤和平与安宁!
和平,和平,我们呼唤和平与安宁!

这首歌的歌词,是全班同学智慧的结晶,我们想了整整一天才写出来。

住在学校对面的人纷纷走出家门,冲我们嚷嚷:他们昨天加班到很晚,想多睡一会儿,请我们也考虑考虑他们的"和平与安宁"。此刻,我的手被杰罗米和加布里埃尔紧紧拉住,手心一阵发麻。不不不!绝对不能是现在!

我得赶紧切断这个圆圈,否则……

> 太晚了……我来不及放开双手!

> 在一旁等着抓拍镜头的记者,偏偏在此时按下了快门。

咔嚓 咔嚓 咔嚓

> 快门声如同电流声。

咔嚓 咔嚓 咔嚓

　　隔着好几位同学,我终于看见了佩内洛普。记者就站在她跟前,想给她来一张特写。俏丽的佩内洛普露出她最迷人的笑容。与此同时,她注意到周围发生的情况,立刻预见到她那张即将出现在《城市日报》上的照片会是什么模样——这让她汗毛直立!事实上,她已经连头发都直立起来了……

　　她发出一声惊叫。同学们看到她那滑稽的模样,纷纷爆笑不止。大家不自觉地松开了手……

哎哟！ 哎哟！ 哎哟！ 哎哟！

噼啪 噼啪 噼啪 噼啪

佩内洛普气呼呼地朝我走来。不过，她生气的样子也很可爱。

都怪你，静电超人！

好吧，我承认……

第4章

在热带草原上,当狮子向牛群发起进攻时,总会从最体弱多病的那头牛下手。这就叫"自然淘汰"。在学校,也一样。大乔这伙人,有着野兽捕食般的本能。

"绿毛虫"弗雷德就是他们的理想目标:他虽然不算多病,但确实很弱小。

大……大乔?

你想干什么?

把你的零花钱拿来!

我想赶紧溜走,免得被他们发现。

以我的个头儿,根本不是大乔的对手。

快救救我,静电超人!

唉,我真后悔没把头藏在储物柜里。

大乔发现是我，不由得后退了一步。他显然有点儿吃惊，但并不像我所期待的那样害怕。我进退两难。好吧，我总不能就这样傻站着，得趁大乔还有一丝惊讶时，先下手为强。

放开他，大乔！否则……

否则怎样？

否则，我只要动一动手指，会发生什么，你心里清楚。

人群渐渐地把我们围住，现场气氛紧张，恶战一触即发。大乔不想丢面子，他选择与我对决。

既然这样，就别怪我不客气了。

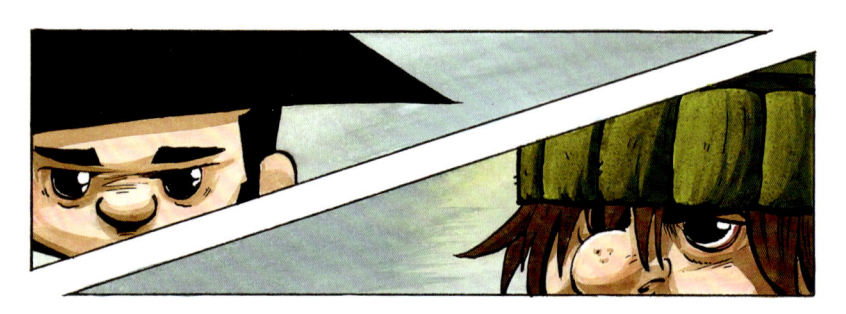

可是，什么事也没有发生。我的手既不发麻，也不发热。周遭连一丝细微的噼啪声都没有！

大乔就算再傻，也能看出我这边出了状况。

我的大脑和双脚都在飞速运转。在我的视野里，先后出现了挂钟、课桌、气球、椅子……

对了，气球！

我一个180°大转弯，像曲棍球运动员一样，先是飞身向左，做了一个假动作，然后径直向右，骗过了对手。他们来不及刹车，全都冲向前方，而我却迅速闪入走廊，抓起一个红色气球。

气球是为《和平圆舞曲》表演准备的，现在却成了我的杀手锏。

我一边奔跑，一边用气球摩擦头发。

可惜，我目前储备的电量还不够强大，不足以吓退敌人，却让他们更加愤怒。不一会儿，他们便缓过神来，继续展开对我的追击。我要怎样才能出奇制胜？对了！老师的休息室！帕提斯老师中午常常在那里午休。

我立刻跑进去锁住门，并趁机换上了羊毛拖鞋，双脚在地毯上用力摩擦，任凭他们把门敲得震天动地。

为了减少噪声,让老师们安静地休息,房间里铺满了地毯。有时,老师们真的需要静一静。

而现在,地毯却帮了我的大忙。

快一点儿!再快一点儿!

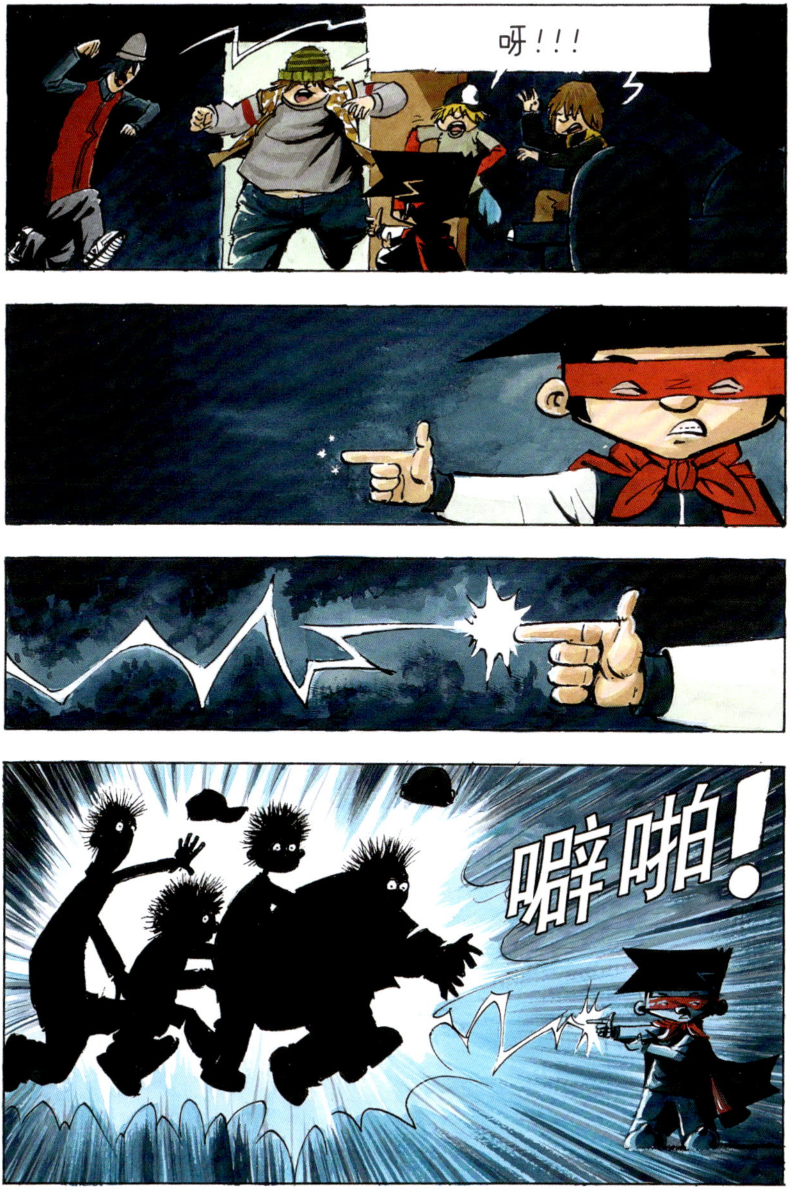
呀！！！
噼啪！

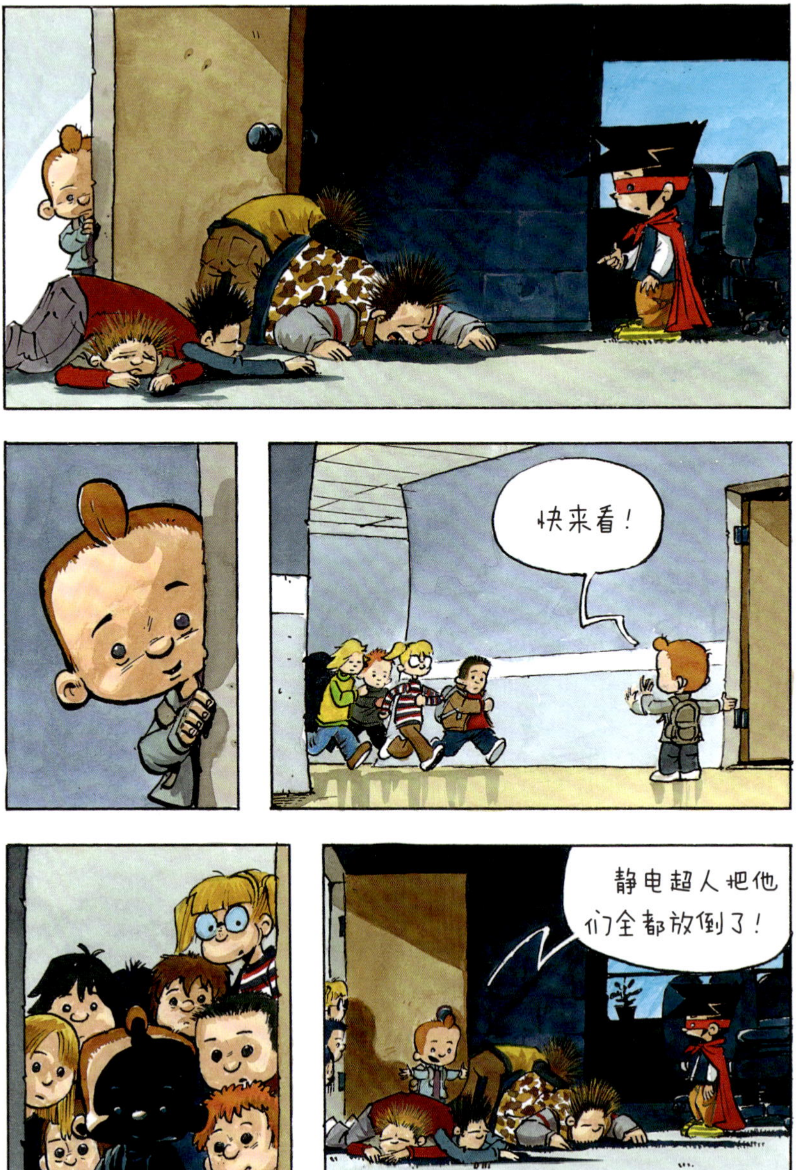
快来看！
静电超人把他
们全都放倒了！

这就是我的格言。

佩内洛普听说情况后，特意来找我。她不像在操场时那样生气了。

没错，我还是更喜欢看她高兴的模样。

谢谢你救了我的弟弟弗雷德！

我不过是"路见不平，拔刀相助"而已。

我曾在一本书上读到，一个带静电的物体，会吸引另一个物体……看来还真没错！

噼啪

这还真是电光火石般的幸福呀!

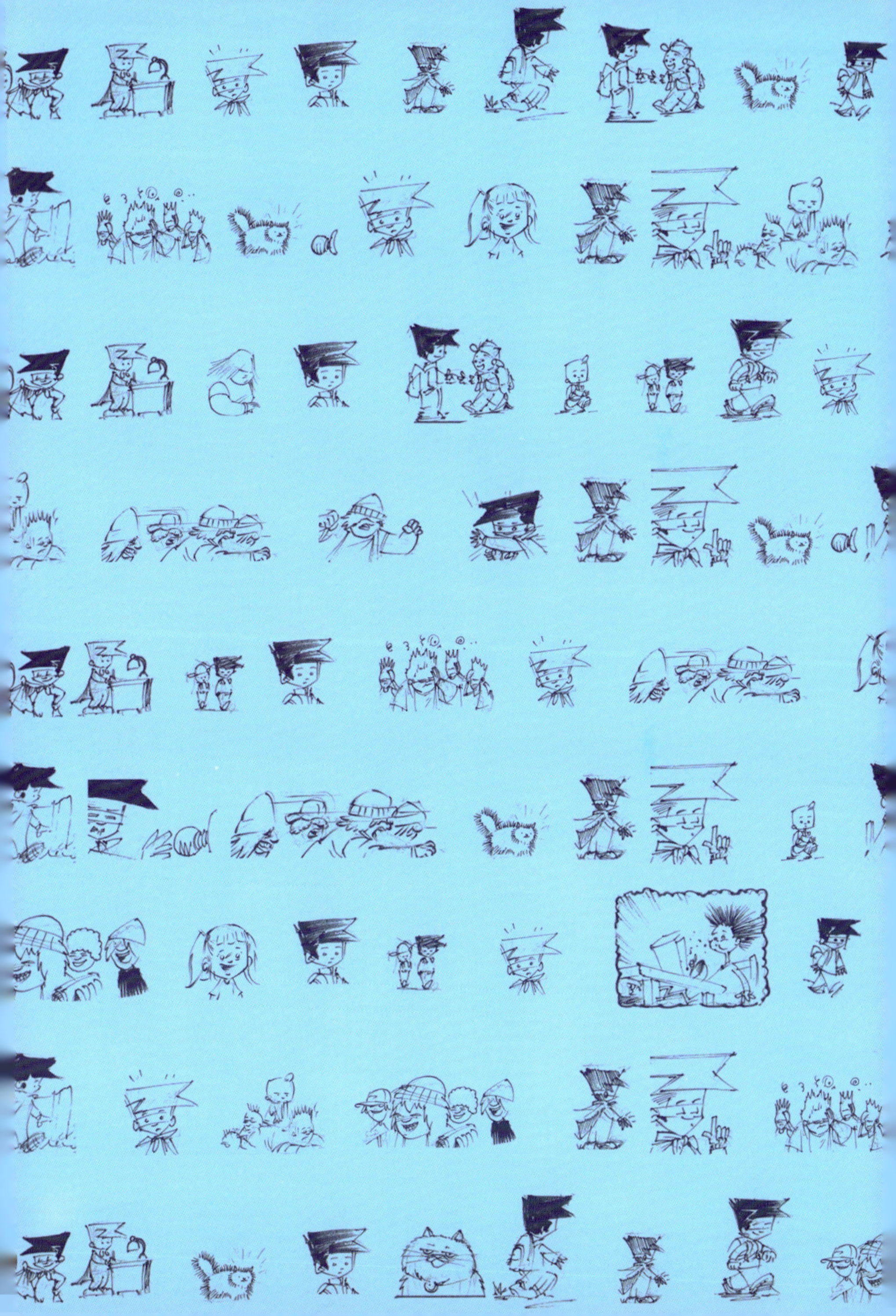

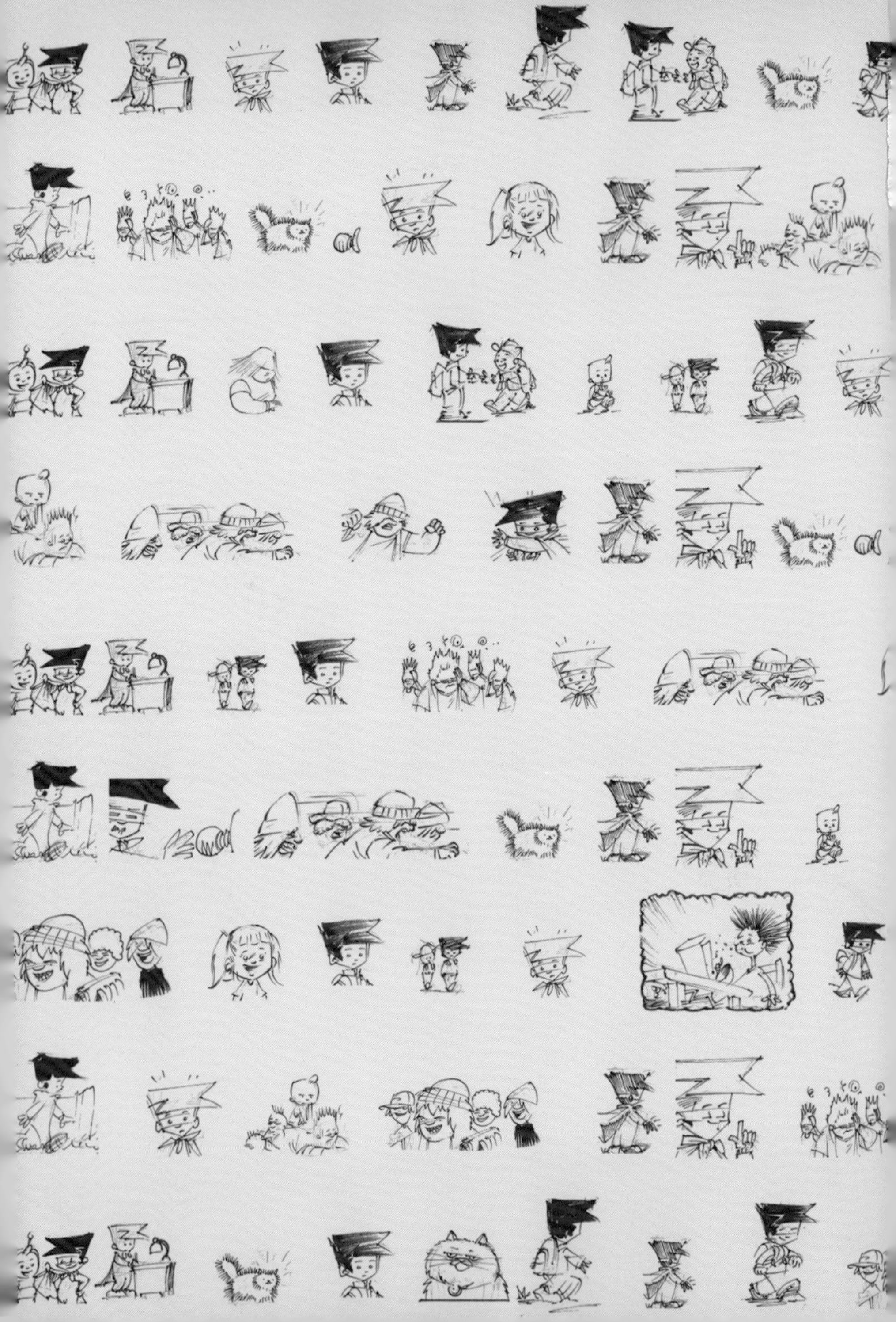